爱德华真是顶呱呱

爸爸妈妈焦点指南

自信的宝宝乐于表现自己，

不惧怕人多的场合；

自信的宝宝不怕挑战，擅于独立做事情；

自信的宝宝遇到困难沉着冷静，

不归咎于人，懂得想办法解决问题。

您的宝宝是否具有这些特质？

怎样才能增强宝宝内心的力量？

这里，或许有你需要的答案！

快和宝宝一起进入托马斯的世界吧，

读故事，做游戏，看指导，

培养一个乐观、自信的宝宝。

让宝宝做情绪的主人

 儿童心理教育专家《父母必读》主编 徐 凡

情绪无论好坏，都伴随着人的整个生命旅程，每一种情绪都有着重要的生物学意义，对孩子的生存具有一定的贡献。在生活经验中，我们发现了一种现象：强烈的情绪，比如狂喜、暴怒、极悲，有可能使人的心智变得狭窄，因其过度调用身体资源，会对健康造成一定的伤害。还有一些情绪，比如羡慕或嫉妒，有的会给人带来动力，有的会伤害人与人之间的关系。

我们的心灵犹如一个容纳各种情绪的盒子，哪一种都不应该被排斥在外。家长需要做的就是帮孩子建立起管理这个盒子的心智体系。无论是正面情绪还是负面情绪，如果我们能帮孩子很好地认识它们、接受它们、管好它们，我们将看到一个情绪丰富、情感丰满的孩子在成长。

在这套书中，有一系列帮我们认识和调控消极的负面情绪，以及强化和放大积极的正面情绪的好方法，相信在亲子共读的过程中，父母和孩子都会有收获。

 儿童心理咨询专家 北京友谊医院副主任医师 柏晓利

多年前，当我们还是孩子时，我们的情绪往往不被父母重视，有时我们会觉得委屈和压抑，甚至埋怨父母不懂自己。那时，我们更不懂得如何表达情绪，我们的童年经常受到坏情绪的困扰。现在，我们做了父母，开始知道，对孩子的情绪不能简单地用语言禁止、否定或者漠视，情绪需要用智慧来管理。这套情绪管理丛书，就是这样一套能帮助父母应对3岁~6岁宝宝情绪，弥补我们童年的缺失的丛书，是为宝宝成长助跑和为父母补课的好书。

这套丛书将情绪管理这一理论深入浅出，用3岁~6岁宝宝能理解的生动故事和充满童趣的语言，把人的最基本的情绪逐层解析，帮助父母和宝宝轻松地学会情绪管理，开启通往快乐、幸福人生的大门。

当您在给宝宝读这本书时，请您设想自己还是孩子时的感受，用孩子的视角来理解、接纳和管理宝宝的情绪。阅读这样一套丛书，您的宝宝会受益终生，而您自己将会是最大的受益者。

爱德华真是顶呱呱

THOMAS & FRIENDS

童趣出版有限公司编译　人民邮电出版社出版

北 京

爱德华是一辆备用小火车，他的颜色和托马斯一样，个头跟詹姆士差不多。他可以拉客车，也可以拉货车。

可是，现在爱德华老了，他不像其他小火车那么强壮，也没有他们跑得快，爱德华觉得自己渐渐地被大家忘记了。

　　一天，公爵和夫人去乡间别墅度假，他们乘坐的是私人火车史宾塞。史宾塞是个银色大个子，跑得比高登还快。

　　史宾塞觉得自己比多多岛上所有小火车加起来都快！这个自负的家伙让胖总管的小火车们很不服气。

　　胖总管要找一辆小火车替公爵拉家具。这可是个赛跑的好机会！小火车们个个都想跟骄傲的史宾塞比一比。

　　可是，胖总管把这个工作派给了爱德华。"竟然让备用老火车去做快车的工作？"高登生气地叫起来。"他会输掉比赛的！"詹姆士也嚷嚷。

可怜的爱德华难过得连车轴都颤抖了，小火车们的喊声让他几乎要失去信心和勇气了。

"史宾塞是柴油火车，所以跑得快，但爱德华会尽力的！"托马斯气愤地说。"对！正直的蒸汽火车一定会打败自大狂！"培西也支持爱德华。

朋友们的鼓励让爱德华安心了一点点，他说：
"我会尽力的。"然后就出发了。可是，史宾塞一下子
就超过他，跑得不见踪影了。

爱德华开到一座山坡下。货车很重，爱德华觉得非常疲惫，但他不泄气，"一定行，一定行。"爱德华给自己鼓劲儿。

　　咔嚓咔嚓，加油加油！爱德华慢慢开上山坡，他看见史宾塞正在不远处飞跑。于是，爱德华也加快了速度。

　　开到山顶火车站，史宾塞停了下来，公爵和夫人要在这里吃一些茶点。过了好一会儿，爱德华才气喘吁吁地开进车站。

　　爱德华也好想休息一下，可是工人们听说了赛跑的事，都为爱德华加油欢呼。所以爱德华没有停下，他从史宾塞身边开了过去。

　　公爵和夫人吃完茶点，史宾塞又出发了，他呼啸着超过了爱德华。爱德华非常沮丧，但他决不放弃，"一定行，一定行！"他对自己说。

史宾塞再次停下来，因为公爵和夫人要拍一些照片。史宾塞懒懒地闭上眼睛，他才不担心老爱德华会超过自己呢！

爱德华一刻不停地努力向前开。高登从他旁边开过，看见他努力的样子，也为他加油："爱德华，好样的，你是我们的骄傲！"

爱德华听了，兴奋得锅炉咕嘟咕嘟响。他打起精神，使劲儿转动轮子，从正做美梦的史宾塞身边开了过去。

公爵和夫人回到车上，他们摇铃出发，可是史宾塞并没有听见。当他终于睁开眼睛的时候，他远远地看见爱德华就要到达别墅了。

爱德华喘着粗气，加足马力，稳稳地驶进了别墅站台，将史宾塞甩在了后面。爱德华赢了！

　　爱德华幸福极了，原来自己仍然是真正有用的小火车，虽然有点儿老，但只要相信自己、不放弃，他依然会成为大家的骄傲。

情绪体验课

爱德华相信自己的力量，最终跑赢了史宾塞。他是怎么跑赢的？快来说一说，回答一个问题，就把一枚小火车勋章涂上颜色，加油把勋章都涂满吧！

1

胖总管派谁去替公爵拉家具呢？

2

有人相信爱德华能跑过史宾塞吗？

3

爱德华是怎么跑过史宾塞的？

4

爱德华为什么觉得幸福极了？

妈妈 小贴士 请用小火车勋章作为奖励，鼓励孩子回忆故事，思考问题，明白自信就是要了解自己、相信自己、喜欢自己，就算不是最棒的，一样可以赢得胜利！

自信动力车

爱德华赢得了比赛，他真棒！其实每个小朋友都很棒，都有自己的优点。找找看，你的优点和下面谁的相似呢？把小勋章涂满红色吧。再说说看，你还有什么优点呢？

我喜欢举手回答问题，我知道答案，我很棒！

我会自己穿衣服，我很棒！

我能用积木搭出高高的大楼，我很棒！

朋友们喜欢和我玩，我觉得自己很棒。

我能帮助小朋友系鞋带，我很棒！

我敢自己去买门票，这没什么大不了。

我不介意别人说我个子小，我知道自己会长高的。

折纸飞机有点难，但我知道，多练习几次就好了。

我会＿＿＿＿＿＿＿。
这是我独一无二的本领。

情绪放大镜

 爱德华相信自己，心里充满了战胜困难的力量，自信的感觉真好！自信的好感觉你有哪些呢？找到和你类似的小朋友，把放大镜贴到旁边吧！

我总是乐呵呵的，好像心里住着一个大太阳。

我喜欢我自己，我不用和别人一个样。

我相信，我一定能把事情做得很好。

就算没有别人做得好也没关系，我已经很努力了。

我不害怕人多的地方，我喜欢交朋友。

我喜欢发现新东西，学习新本领。

妈妈小贴士 以上是自信的宝宝常有的6种情绪状态，您的宝宝有哪些呢？请帮助宝宝撕下放大镜，完成游戏，看看您的宝宝是不是处于自信的状态之中。

 爱德华赢得比赛，他越来越自信了！胖总管又交给他一个任务，根据三条线索，闯过三道关，寻找一批宝藏。小朋友，你也试一试，和爱德华一起去寻找宝藏。每闯过一关，就给自己涂一个"你真棒"小勋章，做个勇敢、自信的出色宝宝！

第一条线索 站台上有一只坏掉的钟表，永远指向12点。只有这只钟表下面的箭头才指向宝藏的方向。

妈妈小贴士

这是一个简单的闯关游戏，用三个简单知识点设置关卡，考验孩子。如果能完成，会大大提升孩子的自信心。帮助宝宝完成游戏，获得成就感，建立自信心！

爱德华来到站台，他发现一共有三个钟表。哪一个钟表下面的路标是正确的呢？爱德华发了愁，你快帮帮爱德华吧。

你真棒
2

第二条线索 穿过入口处画着三颗五角星和两个三角形的隧道。

爱德华来到岔路口，他应该穿过哪一条隧道呢？仔细看看隧道入口的图画，把答案告诉爱德华吧。

爱德华看来看去，宝藏埋在哪里呢？你知道吗？告诉爱德华吧。

宝宝本领歌

你真是一个很棒的小朋友！你能不能记住下面这首儿歌呢？它会带给你力量哦，快来试一试！再和妈妈说一说，你还有什么本领，每说出一件，就把下面的一颗小星星涂上颜色吧！

我会自己把手洗干净，

自己吃饭一粒也不剩，

我会自己把牙刷白白，

自己收拾玩具齐整整，

我会唱歌，我会画画，

还会帮助朋友和妈妈，

我喜欢自己这个样，

我给自己鼓鼓掌，

这是因为我很棒！

妈妈 小贴士　琅琅上口的儿歌能够让宝宝清晰地了解并记住自己的优点，建立自信，这会成为孩子的精神动力。和宝宝一起念儿歌，再自由替换其中的内容，鼓励孩子说出自己还有什么本领。

30

经过上面的练习，宝宝是不是学会了如何树立自信呢？那么您是不是想知道宝宝的自信来自于哪里呢？下面就为你解开疑惑。

自信是体现一个人能力的重要考量因素，也是成功的关键。拥有自信的宝宝就好像握着一把能打开强大生命潜能的钥匙，能够在激烈的竞争中脱颖而出。宝宝的自信一般来自于这几个方面：

1.宝宝的成功体验

宝宝对自己和外界的认识都是从已有的生活经验开始，在现实生活中经历过什么，一定程度上影响着宝宝的认知。生活中的每一次成功，他人的认可和赞美等，这种由心而发的愉悦感觉，会使得孩子忍不住想重复体验。这些都会增强宝宝的自信心，让宝宝在过去愉悦体验的基础上，更乐于接受相似的任务或者活动。

2.宝宝心中的天平

除了亲身体验成功，宝宝还会通过和别人的观察比较，对自己的能力有一个初步判断。如果是能力不如自己或者和自己相近的人，做了某件事情并取得了成功，宝宝就会这样判断："他都可以，那我一定也行。"因为宝宝会参照他人的行动结果对自己的活动结果做出预测。

3.他人的鼓励

当宝宝很尊敬的人，或者宝宝认为能力比自己强很多的人对宝宝说："你一定能做到，我相信你。"宝宝的自尊心和自信心会迅速增长，从而产生强大的动力。这种情况下，宝宝经常可以"超常发挥"，出色地完成任务。但是，不要为孩子预想活动的完美结果，而是要鼓励孩子迎难而上、不断努力的信念。

自信是宝宝一生中重要的能量支柱，也是宝宝完成愿望的动力之一，那么，怎样培养乐观自信的宝宝，让宝宝保持自信的最佳状态呢？下面为您提供一些方法。

Tip 1 帮助宝宝认识自己

从认识宝宝的外貌开始。告诉宝宝，虽然你的眼睛不大，但是你的睫毛很好看；虽然你不会系鞋带，但是你会写好多字。帮助宝宝正确地认识并且接纳自己的优缺点，这样才会为培养自信心打下基础。

Tip 2 展示宝宝的作品

在家里醒目的位置张贴宝宝的画作或者摆放宝宝的手工，这样能让宝宝产生强烈的荣誉感，从而增加宝宝的自信。

Tip 3 给宝宝安排小任务

比如，让宝宝帮忙拿报纸，让宝宝知道自己是被需要的，是可以贡献力量的，这会激发宝宝的责任感，从而增加自信。

Tip 4 让宝宝做自己的事

让宝宝洗自己的毛巾或者袜子，整理自己的书桌，哪怕洗得不干净或者整理得不整齐，也要对孩子表示认可，这样孩子才能感受到鼓励，从而生发自信。

Tip 5 让宝宝做选择

给宝宝买衣服时，可以让宝宝选择颜色；在公园里，可以让宝宝选择是去湖边还是花园旁边。父母要尊重宝宝的选择，让宝宝感觉到自己是有一定支配能力的，从而增强自信心。

Tip 6 和宝宝"交流思想"

和宝宝一起读书或者看动画片，针对故事中的情节或者人物一起讨论，让宝宝发表自己的看法，然后父母说出自己的看法，适当的时候可以讨论甚至辩论。这种平等的交流是宝宝自信心的来源之一。